TEO
en el parque natural

timun**mas**

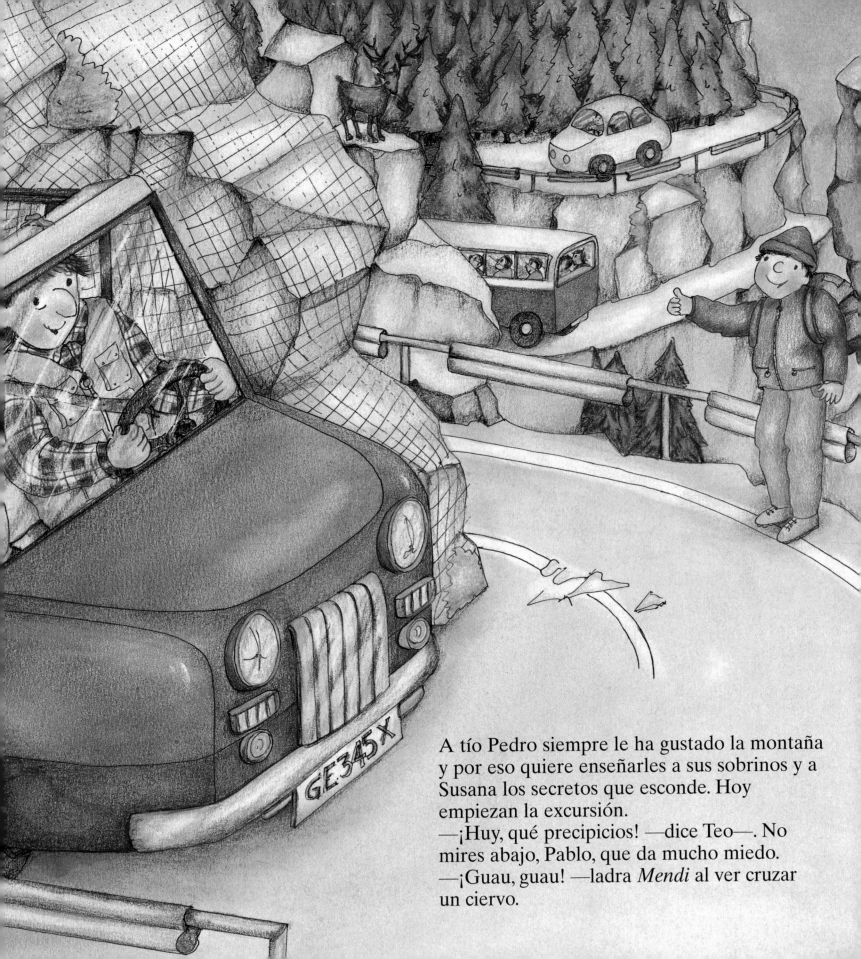

A tío Pedro siempre le ha gustado la montaña y por eso quiere enseñarles a sus sobrinos y a Susana los secretos que esconde. Hoy empiezan la excursión.

—¡Huy, qué precipicios! —dice Teo—. No mires abajo, Pablo, que da mucho miedo.

—¡Guau, guau! —ladra *Mendi* al ver cruzar un ciervo.

Han llegado hasta el final de la carretera y han dejado el coche en un aparcamiento. A partir de ahora, tienen que seguir a pie.

—¡Esperad! —les dice tío Pedro a los niños, que con sus mochilas se disponen ya a subir por las rocas—. Esto es un parque natural que tiene muchas rutas. Pablo no puede subir por ahí; tomaremos otra.

—Aquí tenéis una de las maravillas de este parque —les
dice tío Pedro al llegar a una cascada.
—¡Qué chulo! ¡Esta cueva parece la casa de una bruja!
—¡Déjame entrar, Teo! —pide Pedro.
—¡Yo quiero pasar por debajo de la cascada!
¡Vamos! —propone Clara.

—¡Huy! ¡Qué ruido hace esta cascada! —dice
Teo—. ¿Llegaremos al refugio por este camino
tan estrecho?
—Sí, pero no miréis mucho hacia abajo si tenéis
vértigo —contesta tío Pedro.
Y Pablo, tirándole de la cola a *Mendi*, lo
tranquiliza:
—No tengas miedo, que no te caerás al agua.

¡Por fin han llegado al refugio que tanta ilusión les hacía! Pablo está muy cansado y *Mendi* tiene muchísima sed.

—¡Mira, una ardilla! —dice Teo, mientras ayuda a Clara a recoger leña para encender el fuego.

¡Esta mañana han tenido que madrugar!
—¡Mirad, parecen de algodón! —exclama Teo al ver las nubes tan cerca.
—Anda, desayunad bien, porque hoy nos quedan muchas cosas por hacer —dice tío Pedro.

Unos amigos del tío de Pedro se tiran en ala delta.
—Parecen pájaros de otro planeta —dice Pedro,
mientras su tío le ata unas ramas en los brazos.
—Pero estamos jugando, no lo olvidéis —les explica
su tío—. Con estas ramas sólo podéis saltar desde
muy bajo, como si fuera desde un escalón.

Han llegado hasta una zona por donde pasa el
río y se han parado para estudiar el plano.
—Lo mejor es seguir por la orilla —comenta,
al fin, tío Pedro.
—¡Oh, mirad lo que hay aquí! —exclama Clara
al descubrir unos castores que están haciendo
un dique—. ¿Están construyendo su casa?
—¡Cuidado, Teo! —le advierte su tío—. Aquí
no se puede dar comida a los animales.

Han andado por la orilla del río mucho tiempo y ahora
que no es profundo han decidido cruzar al otro lado.
—¡Oh, Teo, cuidado! —dice Susana intentando ayudarlo,
ya que ha resbalado y se ha caído al agua por haberse
descalzado—. ¿Te has hecho daño?
—¡Vaya, mi calcetín… mi bota…! —se queja Teo
al ver que se los lleva la corriente.

Teo ha tenido que andar sin bota un buen rato.
Ahora han llegado a una zona donde el río baja
con más turbulencia y hay varios grupos haciendo
ráfting.

—¿Habéis encontrado mi bota? —pregunta Teo
a los deportistas.

Teo ha recuperado su bota y se ha puesto calcetines secos. Así han podido llegar a un observatorio del bosque donde les explican cómo se controlan los incendios y se observan las migraciones.

—Ahora os llevaré hasta una zona donde podréis ver algunos animales en peligro de extinción —les explica el guarda.

—¡No me lo creo! ¡Mirad, mirad allá! —grita Teo
entusiasmado.

—¿La mamá se está rascando, no? —pregunta Pablo.

—¿Puedo llevarme uno a casa? —pregunta Clara.

—Uno para ti y otro para mí —le contesta Susana.

—No es posible. Aunque parecen muy mansos, son
muy peligrosos.

—Se acabó el paseo —dice Ramón, el guarda que los ha guiado montados
a caballo por un lugar precioso.
—¡Qué bien lo hemos pasado! Yo quiero que volvamos otro día con papá
y con mamá —dice Teo.
Ha sido una excursión que nunca olvidarán.

GUÍA DIDÁCTICA

Teo descubre el mundo es una colección de libros que pretende entretener al niño al tiempo que estimula su curiosidad y desarrolla su capacidad de observación, así como sus hábitos cotidianos y de relación. En función de la edad del niño se pueden hacer distintas lecturas. En el caso de los más pequeños la lectura será más descriptiva, nombrando los objetos y los personajes de cada ilustración, y si son un poco mayores podemos ir siguiendo el hilo de la historia. El objetivo final de esta guía es que sean capaces de relacionar lo que ven en los libros con su propio entorno, de este modo conseguiremos convertir el libro en una herramienta didáctica que sirve para disfrutar y aprender de una forma lúdica.

Teo en el parque natural permite hablar de cómo respetar la naturaleza cuando vamos de excursión a un parque natural. Además, podemos hablar del equipo necesario para ir a la montaña y disfrutar de ella al máximo.
¡Esperamos que disfrutéis con Teo!

1 · ¡Vamos de excursión al parque natural!:

Teo y sus primos van a la montaña en el todoterreno de su tío Pedro. La carretera tiene muchas curvas. Esta ilustración permite hablar de **cómo hay que sentarse dentro del coche para viajar seguros** y cómodos: bien sentados con la espalda recta para no marearse, con los cinturones correctamente abrochados y las sillitas adecuadas para cada edad.

¿Tienes una sillita adaptada para viajar en coche? ¿Qué crees que significa la señal amarilla con un ciervo dibujado?

2 · ¡Ya hemos llegado!:

Después de dejar el coche en el aparcamiento, cada uno ha cogido su mochila y ha empezado a caminar entre las rocas, menos Pablo, que es demasiado pequeño. Con esta ilustración podemos hablar de **las normas a seguir en los parques naturales**, establecidas para respetar el espacio protegido. No se puede circular en coche y **está** totalmente **prohibido encender fuego y tirar basura**.

¿Por qué llevan cuerdas las personas que están escalando la montaña? ¿Qué debemos hacer con nuestra basura si estamos en un parque natural?

3 · ¡Qué cueva más chula!:

Tío Pedro, con la ayuda de un mapa, los ha llevado a uno de los sitios más maravillosos del parque. La gente pasa por debajo de una cascada mientras Teo sale de una cueva. Esta ilustración permite hablar de **las precauciones que hay que tener cuando vamos a la montaña**: ir siempre con un adulto, no separarse nunca del grupo y llevar la protección necesaria.

¿Por qué crees que llevan casco? ¿Para qué sirve la luz de la frente? ¿Para qué es la barandilla?

4 · ¡Qué camino más estrecho

Tío Pedro los guía por un cam muy estrecho entre las rocas. Pas cerca de una espectacular y ruid cascada. ¡Qué emocionante! demos aprovechar esta ilustrac para **estimular** un poco **la ima nación** de los más pequeños c **preguntas como éstas**:

¿Qué animales y plantas crees que ven debajo de la cascada? ¿Te gu ría bañarte en esta cascada? ¿Por crees que llevan un casco con luz? parece que entrarán en una cueva? gina qué pueden encontrar dentro una cueva.

5 · ¡Hemos llegado al refugio!:

¡Por fin! Han llegado al refugio d de pasarán la noche. Ahora pued descansar tranquilamente, juga disfrutar de la belleza del paisa Esta ilustración permite hablar lo **divertido que es pasar una che en un refugio** y del montón cosas emocionantes que se pued hacer: recoger leña, cantar canc nes, explicar historias delante fuego y dormir todos juntos en misma habitación.

¿Has pasado alguna noche en un r gio de montaña? ¿Qué es lo que r te gustó?